D1441984

Doña Cabra
y sus siete cabritillos

Mrs Goat
and Her Seven Little Kids

Tony Ross

Título original: *Mrs Goat and Her Seven Little Kids*

© Tony Ross, 1990
Publicado en Gran Bretaña, en 1990, por Andersen Press Ltd.
© De la adaptación del texto original: Grupo Anaya S.A., 2007
© De la traducción: Gonzalo García, 2007
© De esta edición: Grupo Anaya, S.A., 2007
Juan Ignacio Luca de Tena, 15. 28027 Madrid
www.anayainfantilyjuvenil.com
e-mail: anayainfantilyjuvenil@anaya.es

Primera edición, septiembre 2007

ISBN: 978-84-667-6249-6
Depósito legal: Bi. 2.341/2007

Impreso en Grafo, S. A.
Avda. Cervantes, 51
48970 Basauri (Vizcaya)
Impreso en España - Printed in Spain

WE READ LEEMOS
EN INGLÉS
Y CASTELLANO

Doña Cabra
y sus siete cabritillos

Mrs Goat
and Her Seven Little Kids

Tony Ross

ANAYA
ENGLISH

Érase una vez la Gran Madre Cabra, que estaba a punto de ir al supermercado.

«Cabritillos —les dijo a sus hijos—, no abráis esa puerta

Once upon a time, Big Mother Goat was about to go to the supermarket.

"Kids," she said to her children, "don't you open that door

a NADIE. Si lo hacéis, es probable que el Lobo Feroz entre
y os coma a todos. ¿Queremos eso?».

«No, no queremos eso», dijeron los cabritillos.

«¡Yo le daré una patada en la pierna!», gritó el más pequeño.

to ANYONE. If you do, the Hungry Wolf will probably get in,
and eat you all. Do we want that?"

"No, we don't want that," said the kids.

"I will kick him on the leg!" shouted the littlest one.

Pero el lobo estaba escondido debajo de la ventana.

Cuando la Gran Madre Cabra se había ido, llamó a la puerta.

«¿Quién es?», gritaron los cabritillos a coro.

«Soy vuestra mamá –gruñó el lobo–. Abrid la puerta».

But the wolf was hiding underneath the window.

When Big Mother Goat had gone, he knocked at the door.

"Who's that?" shouted the kids together.

"I'm your mum," the wolf growled. "Open the door."

«Tú no eres mamá –gritó el menor–. Mamá tiene
una vocecilla de pito, muy musical».
«¡Eres el Lobo Feroz!», gritaron los cabritillos,
y no abrieron la puerta.

"You're not Mum," shouted the littlest one. "Mum has
a squeaky little voice that sounds like music."
"You're the Hungry Wolf," shouted the kids,
and they didn't open the door.

El lobo corrió a casa de la profesora de música.

«Enséñame a hablar con una vocecilla de pito, muy musical
–gruñó–, o te arrancaré el pico».

«Muy bien», dijo la profesora de música.

The wolf ran to the music teacher's house.

"Teach me to speak in a squeaky little voice, like music,"
he growled, "or I will bite your beak off."

"Very well," said the music teacher.

Entonces el lobo volvió corriendo a casa de los cabritillos
y aporreó la puerta.

«Dejadme entrar, soy mami. Tengo unos caramelos
para vosotros», dijo.

Then the wolf hurried back to the kids' house,
and knocked at the door.

"Let me in, I'm Mummy. I have some sweets
for you," he called.

«Primero enséñanos la pata», dijo el menor, y el lobo
metió la zarpa por el buzón.
«¡Esa no es la pata de mamá! –chillaron los cabritillos–.
La pata de mamá es blanca. Tú eres el Lobo Feroz».

"Show us your hoof first," said the littlest one, and the wolf
pushed his paw through the letterbox.
"That's not Mum's hoof," cried the kids.
"Mum's hoof is white. You're the Hungry Wolf."

El más pequeño sacudió la zarpa con su martillito
y los cabritillos se negaron a abrir la puerta.

The littlest one hit the paw with his little hammer,
and the kids refused to open the door.

«¡AUUUUUUHHHH! –El lobo corrió a sacar la pezuña del buzón y se chupó los dedos–. ¿Conque blanca, no?», renegó, y salió en busca de un pintor.

"OWWWWWWCHHHH!" The wolf snatched his paw out of the letterbox, and sucked his fingers. "White, is it?" he snarled, and went to find an artist.

«Tiene que ser blanca, con un trocito negro en la punta,
igual que la pata de una cabra –le dijo al pintor–.
Haz un buen trabajo y no te arrancaré la nariz».

"It's got to be white, with a little black bit at the end,
like a goat's hoof," he told the artist.
"Do a good job, and I will not bite your nose off."

El pintor hizo un trabajo muy bueno y el lobo volvió
corriendo a la casa donde vivían los cabritillos.
Aporreó la puerta y gritó con una musical vocecilla de pito:
«Dejadme entrar, luceritos, os traigo unos tebeos del súper».

The artist did a very good job, and the wolf ran to the house
where the kids lived. He knocked at the door, and shouted
in a squeaky little voice, like music: "Let me in, dearies,
I've brought you some comics from the supermarket."

El lobo enseñó la pata por el buzón.

«¡Mirad, es mami! Es la pata de mamá», dijo uno
de los cabritillos.

«Y es la vocecilla de pito de mamá, muy musical», dijo otro.

The wolf showed his paw through the letterbox.

"Look, it's Mummy. It's Mum's hoof," said one
of the kids.

"And it's Mum's little squeaky voice, like music," said another.

«No tan rápido... –dijo el más pequeño–. Déjanos ver tu cola».
El lobo apretujó la cola por el buzón.
«La cola de mamá es fina, como una espiga de trigo –dijo
un cabritillo–. Esta cola es gris y muy peluda, como... como...».

"Not so fast..." said the littlest one. "Let's see your tail."
The wolf stuck his tail through the letterbox.
"Mum's tail is dainty, like an ear of wheat," said
one kid. "This tail is grey and bushy, like... like..."

«¡Como la cola del Lobo Feroz! —chilló el menor—.

Un momento que la muerda».

El lobo aulló y los cabritillos se negaron a abrir la puerta.

"Like the Hungry Wolf's tail," cried the littlest one.

"Excuse me while I bite it."

The wolf howled, and the kids refused to open the door.

«Así que la cola de mamá es fina como una espiga de trigo, ¿verdad?», refunfuñó el lobo, y salió corriendo a ver al dentista.

«No suelo sacar colas», dijo el dentista.

«Si no me sacas esta, te arrancaré yo la tuya», dijo el lobo.

"So Mum's tail is dainty, like an ear of wheat, is it?" muttered the wolf, and he ran to see the dentist.

"I don't usually remove tails," said the dentist.

"If you don't remove this one, I will bite your tail," said the wolf.

«Entonces haré una excepción», dijo el dentista.

El lobo se pegó una espiga de trigo donde había tenido la cola y, una vez más, aporreó la puerta principal de los cabritillos.

«Dejadme entrar –gritó–. Soy mamá, y traigo helados».

Se giró y meneó su nueva cola.

"Then I will make an exception," said the dentist.

The wolf stuck an ear of wheat where his tail had been, and once again banged on the kids' front door.

"Let me in," he cried. "I'm Mummy, and I've got ice cream."

He turned round, and wiggled his new tail.

«Es la vocecilla de pito de mamá», dijo un cabritillo.

«Es la pata de mamá, blanca y con la puntita negra», dijo otro.

«Es la cola de mamá, fina como una espiga de trigo», dijo un tercero.

"It's Mum's squeaky little voice," said one kid.

"It's Mum's hoof, white with a little black bit," said another.

"It's Mum's tail, dainty, like an ear of wheat," said a third.

«¡Es mamá!», gritaron todos a coro, y abrieron la puerta.
Todos, menos el más pequeño, que no lo veía tan claro,
así que se escondió en el cubo del carbón.
El lobo entró en la casa y se tragó a seis cabritillos.

"It's Mum!" they all shouted and opened the door.
All, except the littlest one, who wasn't so sure,
so he hid into the coal bucket.
The wolf went into the house, and ate six little kids.

«Pensaba que había siete –refunfuñó el lobo–.
Siete hubiera sido fabuloso. Pero bueno, seis está bien».
Entonces se desabrochó el cinturón y se sirvió un vaso
de la mejor cerveza de la Gran Madre Cabra.

"I thought there were seven," grumbled the wolf.
"Seven would have been delicious. Still, six is okay."
So he loosened his belt, and had a glass
of Big Mother Goat's best beer.

El lobo se llevó la cerveza al jardín trasero y se sentó
en un sillón de mimbre. Entonces, con una espantosa
sonrisa en el rostro, se quedó dormitando al sol.

The wolf took the beer into the back garden, and sat down
in a wicker chair. Then, with an awful
grin on his face, he dozed in the sun.

Cuando la Gran Madre Cabra llegó a casa, iba cargada
con siete bolsas de caramelos, siete tebeos y siete helados.
El menor saltó del cubo de carbón y le contó
a su madre, punto por punto, lo que había pasado.

When Big Mother Goat got home, she was laden down
with seven bags of sweets, seven comics, and seven ice creams.
The littlest one jumped out of the coal bucket, and told
his mother exactly what had happened.

«Aún está aquí, mamá –gimió–. Está en el jardín.

Está en tu sillón».

«¿QUÉ? –rugió la Gran Madre Cabra–. ¿En mi sillón?

¿Y se ha tragado a mis niños? ¡DEJADME QUE LO COJA!».

"He's still here, Mum," he bleated. "He's in the garden.

He's in your chair."

"WHAT?" roared Big Mother Goat. "In my chair?

With my kids inside him? LET ME GET AT HIM!"

La Gran Madre Cabra topó con el adormilado lobo a 150 kilómetros por hora. Lo embistió y lo hizo saltar del sillón de mimbre. Lo embistió tan fuerte, que uno de los cabritillos salió disparado por su boca. Lo embistió de nuevo, y salió otro.

Big Mother Goat hit the dozing wolf at ninety
miles an hour. She butted him out of the wicker chair.
She butted him so hard, that one of her kids shot out
of his mouth. She butted him again, and out came another.

«¡Otra vez no! –suplicaba el lobo, que intentaba alejarse
a rastras–. En el trasero no, todavía me duele la cola... ¡AY!».
Lo embistió otra vez y salió volando un tercer cabritillo.

"Not again!" pleaded the wolf, trying to crawl
away. "Not on my bottom, my tail still hurts... OW!"
She butted him again, and out flew a third kid.

Cuando recuperó a los seis hijos que el lobo había devorado,
reunió a los cabritillos a su alrededor, secó sus lágrimas
y les dio a cada uno un gran beso en el hocico... y un sopapo
por haberle abierto la puerta a un lobo.

When she got back her six swallowed children
she gathered the kids around her, dried their tears,
and gave each one a big kiss on the nose... and a slap
on the ear for opening the door to a wolf.

Vocabulary - Vocabulario

Awful: horrible, espantoso.
Bang: golpear.
Belt: cinturón.
Bite: morder.
Bushy: espeso, peludo.
Butt: topetar, dar un cabezazo.
Coal bucket: cubo de carbón.
Crawl: gatear, arrastrarse.
Dainty: fino, delicado.
Doze: dormitar.
Dry: secar.
Ear: espiga.
Fly: volar.
Gather: reunir.
Get in: entrar.
Goat: cabra.
Grin: sonrisa.
Growl: gruñir.
Hoof: pezuña, pata.
Hurry: darse prisa.

Laden: cargado.
Loose: soltar.
Mutter: refunfuñar.
Paw: pezuña, pata.
Plead: rogar, suplicar.
Remove: extraer, sacar.
Roar: rugir, bramar.
Slap: sopapo, bofetada.
Snarl: gruñir.
Snatch: quitar, sacar.
Squeaky: chillona, de pito.
Stick: meter.
Swallow: tragar.
Tail: cola.
Tear: lágrima.
Turn round: girar.
Underneath: debajo.
Wheat: trigo.
Wicker: mimbre.
Wiggle: mover, menear.

WE READ LEEMOS

EN INGLÉS Y CASTELLANO

Otros títulos publicados en esta colección: